Dieses Buch gehört:

....

Parragon
Queen Street House
4 Queen Street
Bath BA1 1HE, UK

Übersetzung aus dem Englischen: Anne Brauner, Köln
Redaktion: Antje Seidel, Köln

ISBN 1-40542-020-0

Printed in China

Der kleine Tannenbaum

p

Im Schatten hoher Fichten, weit weg vom Waldessaum
wuchs im Verborg'nen ein kleiner Tannenbaum.
Die großen Bäume lachten über die Klage des Kleinen:
„Wann bin ich endlich groß? Ach, ich könnt' immerzu weinen."
„Sei doch nicht traurig – genieße den Wald!
Leb' jetzt, im Moment – du wirst früh genug alt."

Im folgenden Winter wurden Bäume gefällt,
sie fuhren – ohne Zweige – hinaus in die Welt.
„Wo gehen sie hin?", jammerte das Tannenkind.
„Aufs weite Meer, sie halten die Segel im Wind."
„Ach, wär' ich doch erwachsen", klagte der kleine Baum.
„Ein stolzer Mast, der segelt – durch Zeit und Raum."

Wieder kamen Männer, als die Weihnachtstage nahten.
Sie gruben hohe Tannen aus mit ihren Spaten.
„Die haben's gut", rief eine Amsel entzückt.
„Sie kommen ins Warme, mit Kugeln geschmückt."
Da staunte das Bäumchen: „Oh, welche Ehre!
Das wär' noch viel schöner als auf dem Meere!"

Als der Heil'ge Abend nahte im Jahr darauf
schreckten Männer mit Spaten erneut die Tiere auf.
Ein Vater rief erfreut: „Dies ist der Schönste weit und breit!"
Er grub die Tanne aus. – Sie jauchzte: „Wurde auch Zeit!"
Erregt und mit Freude rief sie zur Waldmaus:
„Das ist meine Chance! Jetzt komm' ich groß raus!"

Beim Abschied aber war das Bäumchen nicht glücklich.
Ihm kamen die Tränen, es weinte bitterlich.
„Adieu, Maus und Kaninchen!" – noch ein letzter Blick,
dann ließ es im Wald alle Freunde zurück.
Fest verschnürt mit einem Strick, völlig wehrlos im Schnee,
lag es auf dem Schlitten. Die Seele tat ihm weh.

Der Vater nahm den Baum bei Mondenschimmer
mit zu sich nach Haus in ein wunderbares Zimmer.
Geschmückt mit Kugeln, Kerzen und glänzenden Schleifen,
war er herrlich anzusehn – und konnt's kaum begreifen.
Kinder juchzten und klatschten froh in die Hände.
Endlich hatte das Sehnen der Tanne ein Ende.

Weihnachten lagen Geschenke unter Zweigen.
Die Kinder packten aus und tanzten einen Reigen.
Der Tisch war gedeckt mit festlicher Speise.
Stolz sagt' sich unser Tannenbaum (wenn auch ganz leise):
„Meine neuen Freunde, sie mögen mich sehr."
Und da hatte er so gar kein Heimweh mehr.

Am Abend las die Oma den Kindern was vor.
Die Geschichte war spannend wie niemals zuvor.
Der Tannenbaum lauschte mit stillem Behagen;
schließlich war es an der Zeit, Gute Nacht zu sagen.
Der Baum war zufrieden: „Was für eine Glück!"
Und er dachte nicht an den Wald zurück.

Stolz glaubte die Tanne: „Hier wohne ich jetzt."
Doch damit hatte sie sich gründlich verschätzt.
Anderntags wurde sie aus dem Zimmer gezerrt
und verschnürt in den dunklen Schuppen gesperrt.
„Was piepst da und huscht an meinen Zweigen entlang?"
Uns'rer Tanne wurde es Angst und Bang'!

„He", rief da ein Mäuschen. „Was machst du denn hier?
Erzähl' uns deine Geschichte, wir lauschen dir."
So erzählte der Baum von seiner Zeit als Kind,
von den Tieren, dem Schnee und dem rauschenden Wind.
Die Mäuse staunten und saßen andächtig da.
Da begriff die Tanne: Der Wald ist wunderbar!

Die Wochen verdämmerten in der Dunkelheit,
und der Baum träumte still von seiner Kinderzeit.
Eines Tages ließ lautes Gebrüll ihn aufschrecken:
Die Kinder suchten nach Schätzen in allen Ecken.
„Seht mal, der Weihnachtsbaum", riefen sie aus.
„Kommt, wir binden ihn los und pflanzen ihn raus!"

So geschah es, und die Tanne staunte gar sehr:
Sie gedieh auf das Schönste und wuchs immer mehr.
Hoch gewachsen, wurde sie endlich klug,
beteuerte ernsthaft und oft genug:
„Die Natur ist ein Glück – drum freu dich des Lebens!
Dann sind auch deine Träume niemals vergebens."